Les deux Paris de
RENE-JACQUES

Les deux Paris de
RENE-JACQUES

Yves Aubry

« Les poches du patrimoine photographique »
Ministère de la Culture
Mission du patrimoine photographique

Editions La Manufacture

M

Le fonds René-Jacques est conservé par la Mission du patrimoine photographique
au ministère de la Culture (Direction du patrimoine).

Il est diffusé par l'Association française pour la diffusion du patrimoine photographique.
Renseignements : AFDPP, 19, rue Réaumur, 75003 Paris, tél. 42 74 30 60.

Ont collaboré à cet ouvrage : Pierre Bonhomme, chargé de mission ;
Claude Vittiglio, directeur artistique, responsable de la donation René-Jacques ;
Pierre Pigaglio, ainsi que Arlette Grimot.

RENÉ-JACQUES
DE LA DESCRIPTION A LA CÉLÉBRATION

« Les années qui viennent verront les réputations les mieux établies sombrer dans l'oubli et seuls ceux qui voudront méditer sur leur métier et se délivrer de toutes leurs prétentions artistiques pourront poursuivre utilement leur effort. »

Philppe Soupault

Préface du numéro spécial d'*Arts et Métiers graphiques* de 1931 sur la photographie.

Portrait avec retouches

Toute la vie de René-Jacques est placée sous le signe de la continuité.

En près d'un demi-siècle de photographie professionnelle, s'est constituée peu à peu une œuvre dont bien des aspects nous échappent encore.

Autoportrait avec Madame,
Exposition universelle de Paris,
1937.

De nouvelles approches ont permis de réviser certains jugements, de découvrir de nouvelles affinités entre les photographies, d'approfondir des lectures trop réductrices.

Le choix de photographies publié ici comprend un nombre important d'inédits. Autour d'un thème central, Paris, ils contribuent à nuancer et préciser la démarche photographique de René-Jacques.

La dichotomie affirmée par certains entre une œuvre réputée froide et systématiquement dis-tanciée, et l'homme chaleureux, amateur de livres, de peinture et de musique, amoureux des mots, fin gourmet, curieux de tout, s'avère définitivement artificielle.

L'humour de René-Jacques, son constat social souvent critique et sa disponibilité à toutes formes d'expressions visuelles rétablissent l'équilibre d'un portrait figé par un esprit de sérieux qui semble ignorer que la maîtrise technique n'est que la parfaite fusion de la forme et du fond.

La vie de René-Jacques commence par un véritable déracinement. Né de parents français en 1908 à Phnom Penh, sous le nom de René Giton, il passe ses huit premières années dans un environnement indigène. Ces années d'extrême liberté le marqueront d'une empreinte d'autant plus forte, jusque dans les intonations de sa voix, que la guerre le contraindra à suivre sa mère en France, à Royan, en 1917.

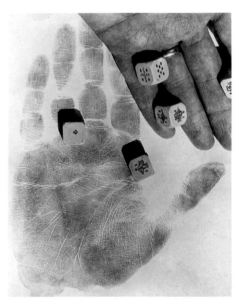

La main et les dés,
1928.

Le banc, boulevard Pasteur, Paris, 1927.

Ce n'est qu'à partir de 1924 qu'ils s'installeront à Paris, non loin du lycée Buffon, où il fera toutes ses études secondaires.

Après un service militaire de deux ans dans la cavalerie et des études de droit, à l'âge de vingt-deux ans, refusant d'être « avocatisé », il décide d'être photographe.

En deux ans, cette volonté qui marque une rupture avec sa famille (qui le destinait à une carrière politique…) se concrétise par l'achat d'un premier Leica, l'installation d'un atelier rue Emile-Allez en 1932 et, surtout, la même année, alors que ses activités photographiques se multiplient, par le choix décisif et symbolique d'un nouveau nom : René-Jacques.

Rien, ni dans ses origines, ni dans sa formation ne le destine à ce choix, mais son attirance pour l'écriture trouve dans la photographie une équivalence immédiatement investie : « J'avais alors l'évident besoin d'un moyen d'expression. » Et d'une indépendance.

Pourtant, rien n'est moins évident que de s'installer à son compte. Cela implique d'emblée un endettement important pour l'achat du matériel de prise de vue et de laboratoire, qu'il doit assumer seul. Cela implique aussi de s'organiser pour s'imposer face à une concurrence importante et cosmopolite, comme celle des années vingt, avec Man Ray, Eli Lotar, Brassaï, Krull, Feher, Landau, Kertész ou Steiner, et celle liée à la montée du nazisme dans les années trente, avec l'arrivée d'Ilse Bing, Blumenfeld, Gisèle Freund, Florence Henri, Raoul Hausmann, Maywald ou Harry Meerson, entre autres.

Il lui faut donc se situer ailleurs, et autrement, et d'abord en investissant tout le champ de la photographie professionnelle, ne serait-ce que pour des impératifs économiques. C'est ainsi que se multiplient, en dehors de commandes plus ou moins traditionnelles, des activités de portraitiste, de photographe de plateau et même de reportage de nuit pour la presse. Des publications régulières dans les numéros spéciaux d'*Arts et Métiers graphiques* consacrés chaque année à la photographie et dans des revues internationales comme *US Camera*

Annual, Harper's Bazaar, Photography ou *Fortune* lui assurent progressivement une réputation de professionnel dont la disponibilité d'esprit se fonde sur une technique sans faille.

Photographe professionnel, René-Jacques découvre très vite que les problèmes de droit d'auteur en photographie constituent, avec le droit de reproduction, un no man's land de la protection juridique.

Dès le milieu du XIXᵉ siècle, Félix Nadar avait, malgré sa célébrité personnelle, dû recourir aux tribunaux pour faire valoir ses droits « d'auteur ». Son fils avait bien créé, en 1906, une Société des auteurs photographes, mais sans réel succès.

Au moment où René-Jacques décide d'entrer dans la profession, il découvre que les mœurs des éditeurs et commanditaires de tout poil sont particulièrement dissolues en matière de droit photographique : ni respect du droit de reproduction, ni signature des photographies, ni restitution des tirages, quand ce n'est pas des négatifs eux-mêmes. La « jungle » photographique durera ainsi, en dépit de tous les efforts de René-Jacques et de ses proches collègues, jusqu'à l'après-guerre.

La Libération, dans la dynamique suscitée par l'esprit né du Conseil national de la Résistance, permet à René-Jacques d'instituer avec ses confrères Bovis, Jahan et Pottier, une section de photographie à l'intérieur du Syndicat des dessinateurs publicitaires de Robert Roquin. L'année suivante, le premier « tarif minimum de base », ainsi qu'un code des usages, sont établis à l'intention de tous ceux qui utilisent ou publient des œuvres photographiques.

Mais la lutte pour l'organisation de la profession ne laissera jamais de répit à René-Jacques. Il fonde et préside, en 1946, l'Association nationale des photographes publicitaires (qui deviendra ANPPM en 1966), dans le cadre de la Fédération française de la publicité. Il est élu, en 1948, au bureau du Groupement national des photographes professionnels (GNPP). En 1954, l'ensemble du Syndicat de la propriété artistique se fédère en Société de la propriété artistique des dessins et modèles, plus connue aujourd'hui sous le nom

de SPADEM. René-Jacques sera président de la section des photographes publicitaires.

Mais ces multiples responsabilités, cette lutte incessante pour faire valoir les droits de toute une profession concentrent sur lui la vindicte des publicitaires et des annonceurs. En 1955, René-Jacques démissionne de la SPADEM. Il constate que son action — qu'il ne regrette en aucun cas — lui a aliéné ceux qui, grâce à la photographie publicitaire, lui auraient permis de « préserver l'idéal qu'il s'était proposé lorsque, livré à ses seuls moyens, il débutait ».

René-Jacques a toujours entretenu un rapport privilégié à l'écriture et construit une grande partie de son œuvre en référence aux œuvres d'écrivains de son temps. Dès le début de ses activités photographiques, dans les années trente, il découvre Paris avec Léon-Paul Fargue ou à travers les ouvrages de Francis Carco, dont l'origine néo-calédonienne n'est pas sans rappeler son propre déracinement.

Dès 1938, la commande par les éditions Grasset de l'illustration d'*Envoûtement de Paris*, écrit par Carco, va lui permettre de préciser sa

L'enfant au parapluie
Saint-Ouen, 1932.

conception de l'illustration photographique d'un texte littéraire préexistant. Imprégné de ses lectures, qui dépassent largement le texte directement concerné, René-Jacques « part en chasse », comme il l'écrit lui-même en 1951 dans *Les Cahiers français*. L'illustration photographique devient alors « ce microcosme où se révèlent au lecteur, sensiblement, intensément, le songe de l'écrivain et la nostalgie des images fugitives ». Dans le même texte, René-Jacques suggère d'ailleurs le rapprochement avec une interprétation musicale, rapprochement qui fonde la notion de transposition photographique.

Ce très grand succès d'édition restera cependant longtemps sans lendemain. C'est essentiellement après la guerre — à l'exception, notable, de *La Seine à Paris,* en 1944, sur un texte de T'Serstevens — que René-Jacques reprendra une importante activité d'illustrateur. Mais à deux niveaux très différents.

Dans la mouvance de l'exaltation du paysage et du patrimoine de la France, paraissent de très nombreuses monographies illustrées par René-Jacques. Aux éditions Delmas, *La France, Les Vignobles de Bordeaux, Saint-Emilion* ou *La Lorraine mosellane,* pour ne citer que quelques titres, lui permettent de travailler en couleur (même si les résultats imprimés nous semblent aujourd'hui médiocres). La Bibliothèque des Arts publie, dans la collection Panorama, des volumes dont il signe seul l'illustration, comme *La Bretagne* et *Paris la nuit* en 1956, *Le Mont Saint-Michel* en 1963, *Versailles* en 1967... Impossible, en si peu de pages, de citer tous les ouvrages qu'il contribue ainsi à illustrer, d'autant plus que s'y ajoutent des ouvrages collectifs et que, des années durant, il collabore à *La France à table,* qui consacre tous les deux mois un numéro à une région de France et à sa gastronomie.

Bien entendu, au cours de tous ces voyages, les œuvres et les recherches personnelles se multiplient en toute indépendance, et nombre de grands paysages qui font aujourd'hui référence dans l'œuvre de René-Jacques ont été photographiés à l'occasion de ces très nombreuses commandes.

L'autre niveau du travail d'illustrateur a trouvé dans l'immédiat après-guerre quelques-unes de ses expressions les plus abouties. L'ouvrage *La Mer est un pays secret,* d'Edouard Peisson, est publié en 1948, mais les photographies de René-Jacques sont réalisées dès 1946 dans le « respect de la lettre et de l'esprit du texte ». Le travail accompli avec le metteur en scène René Lucot sur Rodin en 1942 est édité en 1952 (après une médiocre transcription imprimée en 1946, alors que les originaux traduisaient toutes les subtilités d'une mise en lumière des œuvres du sculpteur). Mais au milieu de tant de publications, et de pas mal de déceptions dues à l'imprimerie, c'est le projet personnel d'illustration des *Olympiques* de Montherlant, dans une édition enfin digne de toutes les exigences, qui marque l'année 1948. En dépit de son échec final, il appelle une étude spécifique dans le cadre de ce que j'ai appelé « La Célébration ».

Bien qu'il évoque souvent son esprit d'indépendance, symbolisé par son refus d'appartenir à quelque agence que ce soit, René-Jacques, membre de nombreux groupements professionnels, a aussi participé à quelques « cénacles » photographiques.

Le premier, ce fut, dès 1941, en pleine guerre, le groupe Rectangle, à l'invitation de son président, Emmanuel Sougez. Cette « reconnaissance » professionnelle, qui lui permit de retrouver Sougez, Garban, Jahan et d'autres, ne déboucha pas sur une activité photographique intense, ne serait-ce qu'en raison des circonstances politiques et économiques. Elle permit cependant d'organiser une entraide indispensable et une participation du groupe à l'une des rares grandes expositions officielles à la Porte de Versailles.

Ce n'est qu'au lendemain de la guerre que des regroupements efficaces purent être organisés. Certains concernaient la défense du droit d'auteur et René-Jacques en fut l'animateur obstiné. D'autres constituèrent une « amicale d'artistes photographes ». A l'initiative d'André Garban fut ainsi créé, au printemps 1946, le « Groupe des XV » (comme au rugby). Sa vocation était essentiellement artistique. Il permettait de confronter les œuvres personnelles et les idées, d'organiser des expositions et d'échanger des informations. René-Jacques y retrouva, outre son fondateur, Amson, Auradon, Bovis, Che-

Mont Saint-Michel, 1952.

valier, Lacheroy, Lorelle, Masclet, Michaud, Pottier, Séeberger, Sougez et Tuefferd. Robert Doisneau, son quinzième et plus jeune membre, se souvenait d'avoir écouté « médusé » les péroraisons de Lorelle ou de Masclet. « Je restais muet les soirs de réunion

Fête annuelle des vins du Postillon, Ile-de-France, 1955.

car j'étais pétrifié par l'intensité des discussions d'où devait jaillir cette lumière qui, d'après le dictionnaire, est le matériau de base de l'écriture. » (in *A l'imparfait de l'objectif.*)

Il est vrai que la personnalité de Masclet était parfois encombrante et que ses grandes théories, comme celle des « Cinq "I" majuscules » (l'Intensité, l'Importance, l'Insolite, l'Imagination et l'Intériorisation) lui valurent d'être invité à « reprendre sa liberté » en 1952.

Mais l'objectif du Groupe des XV fut atteint pour l'essentiel par l'organisation d'expositions d'œuvres personnelles, chaque année, jusqu'à sa disparition en 1958.

En ce qui concerne René-Jacques, l'un de ses participants les plus assidus, son œuvre personnelle, trop souvent occultée par ses multiples activités professionnelles, y a trouvé progressivement la reconnaissance d'un style que Daniel Masclet saluait, en 1950, dans *Publimondial*, de la belle formule de « diplomatique et distingué ».

Le même Masclet contribuait d'ailleurs largement, par sa connaissance de la nouvelle pho-

tographie américaine, à faciliter l'accès aux œuvres de Berenice Abbott ou de Weston.

Ce que nous savons aujourd'hui de l'œuvre de René-Jacques se nourrit des grandes rétrospectives récentes et des études ou rééditions qui se sont multipliées ces dernières années.

La perception qu'en eurent les contemporains fut très différente. Les expositions connurent une certaine audience auprès des spécialistes et des amateurs avertis, mais le grand public découvrait les photographies de René-Jacques et de bien d'autres photographes, à travers des publications à caractère plutôt technique comme les almanachs Prisma, ou des manuels style *La Photographie de paysage* de Marcel Bovis. Caractère commun à toutes ces publications, y compris aux fameux numéros spéciaux de *Photographie* de Deberny et Peignot, ce sont de véritables patchworks photographiques où les œuvres les plus hétéroclites se téléscopent allègrement. Les talents les plus subtils y supportent des vis-à-vis repoussoirs dont rien ne justifie la présence, si ce n'est un redoutable éclectisme.

Le lieu privilégié de la connaissance de l'œuvre de René-Jacques a donc été long-temps, en dehors de quelques publications et œuvres illustrées, comme *Envoûtement de Paris*, limité soit à quelques cénacles, déjà évoqués, soit à des expositions exceptionnelles comme celle que René-Jacques organisa en 1958 — l'année même de la fin du Groupe des XV — à la galerie Montalembert, à Paris. Plus de deux cents œuvres y dressaient une sorte de bilan et permettaient pour la première fois d'en mesurer les apports essentiels.

Paradoxe du temps, les événements politiques (le retour au pouvoir du général de Gaulle, le jour même du vernissage) limitèrent cruellement l'audience d'une exposition en tous points exceptionnelle et annonciatrice de la redécouverte des années quatre-vingt.

Toute activité professionnelle a une fin. En 1975, René-Jacques a soixante-sept ans. L'atelier de la rue du Printemps, ouvert en 1947, représente une charge d'autant plus lourde qu'après avoir réalisé, vingt ans durant, de 1951 à 1971, le catalogue des « Trois Quartiers », il lui faut affronter, dans une conjoncture difficile, l'hostilité de publicitaires qui ne lui pardonnent pas ses actions en faveur du droit d'auteur en photographie. C'est à cette époque qu'il doit se tourner vers de nombreux travaux de photographie industrielle. Le moment est donc venu pour René-Jacques de mettre un terme à près d'un demi-siècle de « métier ».

Pendant plusieurs années, l'oubli semble se refermer sur lui, comme sur nombre d'autres photographes de la même génération.

Il faudra attendre 1982, et une initiative de la Fondation nationale de la photographie, pour que l'œuvre retrouve le chemin des cimaises. Les expositions ne cesseront plus de se multiplier en France et à l'étranger avec, en point d'orgue, pour accueillir la donation de son œuvre à l'Etat, l'exposition organisée par la Mission du patrimoine photographique au Palais de Tokyo, à Paris, en 1991.

Peu à peu, d'expositions en publications, la complexité et la diversité de l'œuvre de René-Jacques se précisent. Avec quelques retouches qui, de recherches en retirages, de relectures

en résonances, lui restituent des aspects oubliés, méconnus ou ignorés.

Le choix d'images présenté ici met à son tour l'accent sur le Paris des années trente, sans négliger pourtant d'autres aspects essentiels de l'œuvre, et mérite, à ce titre, que l'on s'y attarde plus longuement.

Description de Paris

« J'ai découvert Paris à la suite d'apports successifs, de sensations juxtaposées. »
Francis Carco, *Envoûtement de Paris.*

Réinventer Paris ! En ce début des années trente, René Huyghe saluait un renouveau général des arts : « On assistait à l'éclosion d'un extraordinaire esprit d'aventure et de jeunesse »... « Tout était à reprendre et fut repris. » Selon Emmanuel Sougez, dans son adaptation française de *L'Histoire de la photographie* de Pollack, c'était, pour l'Ecole de Paris, « montrer les choses autrement qu'on a coutume de les voir. On en impose une apparence insoupçonnée non par des artifices trompeurs, mais par une exaltation de la vérité, par un isolement du détail jadis négligé et qui l'établit comme thème unique de la représentation. Tout alors devient image. »

Cette exaltation apparaît alors comme une véritable libération du regard : « Il semble qu'on voit pour la première fois des choses auprès desquelles on vivait depuis toujours sans leur accorder d'attention. »

C'est bien cette vision nouvelle qui fonde le travail de René-Jacques sur Paris, ce Paris évoqué par Carco dans *De Montmartre au Quartier latin* : « Ce que j'aimais, c'était d'abord les rues noires, les hôtels, les débits, le froid, la pluie fine sur les toits, les bars, le hasard des rencontres et, dans les chambres, un air de navrant abandon qui me serrait le cœur. »

Au hasard des rues, inlassablement parcourues de jour comme de nuit dans le Paris de l'avant-guerre, seul, la plupart du temps, ou parfois en compagnie de Léon-Paul Fargue ou de quelque autre piéton de Paris, René-Jacques capte le paysage des rues, Galande ou Barbanègre, de l'Evangile ou des Couronnes, voire Traînée, en

Deux policiers, rue de la Verrerie, Paris, 1932.

impasse. Sous la pluie d'automne, le Bateau Lavoir part à la dérive ; 47, rue Vilin, Madame Rayda, voyante « sur photo et par correspondance », lit l'air des rues à sa fenêtre, les pavés font comme des cercles à la surface de l'eau et la rue se métamorphose en un fleuve sinueux et luisant sous les réverbères.

Dans un Paris souvent rescapé d'Haussmann, le photographe choisit délibérément l'éphémère ou le permanent, ce qui peut disparaître sous la pioche des démolisseurs, ce qui ne peut pas disparaître. Dans la vieille cité, il a ses repères. Il sait où situer ses marques, et construire le tissu subtil de ce qui est et de ce qui sera.

Dans la hiérarchie de l'éphémère, affiches, annonces et graphismes en tout genre sont la lecture au quotidien des rues. *Rue de la Verrerie* de 1932, où le « collage » photographique associe les affiches de la devanture du bistrot et les signes évidents que les deux clients attablés à la terrasse ont leurs entrées quai des Orfèvres. *Un trouffion qui rapporte, Fallait pas qu'elle y aille* et *La première exposition nationale contre la vie chère* inventent des collages graphiques et verbaux, comme pour l'hôtel de Carco dans *Envoûtement de Paris*. Entre Coiffeur et Mécanique générale, les Bals, de Paul ou de Louis se côtoient, rudoyés de Secours aux blessés, de Cuisine au gaz, d'Electricité à tous les étages, de Frites, d'Hôtel mondain, quand il n'est pas simplement Café ou Casse-croûte à toute heure, Maison de rapport, Art oratoire, Beau mobilier ou Papiers pour la pâtisserie, le beurre, la charcuterie, d'écriture ou à fruits.

En contrepoint, les grandes gares parisiennes, qu'elles soient du Nord ou Saint-Lazare, évoquent le *Pacific 231* d'Arthur Honegger et *La Bête humaine* de Jean Renoir. La puissance canalisée de fabuleuses machines crachant la fumée et la vapeur entre au cœur de la ville et la métamorphose. Une magie de peurs surmontées, provoquées, évoquées, extirpées de l'éphémère, est projetée dans un avenir où la photographie n'a plus de rapport avec le monde de l'enfance.

Thématique visuelle de la nuit de la grande ville, de la pluie, de la neige, dans une modulation infinie de gris.

Zone de Clignancourt, Paris, 1936.

Thématique sonore de la matité de la nuit d'hiver, du silence habité de la ville, d'une parole mêlée à d'autres paroles, de silences mêlés à d'autres silences.

Même si la présence de personnages dans les rues de la ville reste discrète dans les photographies de René-Jacques, elle ne traduit que son refus de les transformer en indigènes photographiques.

On ne peut oublier qu'au-delà des détails de mains tuméfiées de travail et de crasse, des corps exténués abandonnés au sommeil des rues, des visages ravinés avant l'âge, la misère sans recours côtoie et observe le monde des autres : le casse-croûte de l'ouvrier sur le banc public, en tête-à-tête avec une luxueuse automobile, le marchand de journaux pour automobiliste pressé, ou la roulotte d'un autre âge à quelques pas, infranchissables, de l'Hôtel Mondain à Barbès.

Le 29 août 1939, à trente et un ans, René-Jacques est mobilisé dans l'armée Huntziger, puis transféré à Montmédy, dans la Meuse, à la deuxième division de cavalerie. Au début du mois de mai 1940, cette division est appelée à se battre sur tous les fronts pour s'opposer coûte que coûte à la progression des divisions blindées allemandes.

Sur les douze mille hommes de la division, sept cent cinquante seulement en réchapperont, sans même les « honneurs de la guerre », leur survie paraissant suspecte à certains.

Les moments les plus atroces de cette boucherie, René-Jacques, pourtant toujours équipé de son fidèle Leica, s'est interdit de les photographier. Mais chaque fois qu'il est amené à évoquer cette expérience de la guerre dans toute sa violence, une blessure inguérissable, un traumatisme irréparable, revivifient, intacte dans sa mémoire, l'image d'un très jeune soldat allemand, trépané par un éclat d'obus et immobilisé debout dans la mort, son regard bleu grand ouvert sur le ciel.

Rien ne pourra, à aucun instant, fût-ce un demi-siècle plus tard, effacer cette vision, ni le souvenir de tant de vies sacrifiées ou mutilées en vain.

Quant aux « Années Rutabaga », qui correspondent paradoxalement à la naissance de ses trois premiers enfants, elles exaltent au contraire, en dépit de toutes les privations et restrictions de toutes sortes, le triomphe de la vie.

Toute activité photographique est alors bonne à prendre, mais pas à n'importe quelles conditions. Il faut bien sûr se plier à des contrôles, tracasseries et contraintes, comme l'affiliation à la rue de Clichy et l'obtention mensuelle de produits photographiques de première nécessité.

C'est le règne de la « Propaganda Staffel », des récupérations artistiques en tous genres, des boulots de substitution, comme des portraits providentiels des membres de l'importante famille d'un survivant de sa division.

Et pourtant, cette période nous a valu quelques-unes des images les plus fortes de Paris sous la neige ou les photographies sublimes, et symboliques en ces temps troublés, des sculptures de Rodin.

La Célébration

« C'est beau la vie. Quand on la retourne et qu'on la voit à fond, quand on voit "ce qui est", il y a de quoi tomber à genoux. Ce qui est ! Ces trois syllabes ! La vie est certainement quelque chose d'extraordinaire. Plus extraordinaire que le génie. »

Henry de Montherlant, *Service inutile.*

Dans l'Europe de Yalta, partagée à coups de serpe, l'Ouest se reconstruit à coups de plan Marshall.

La France se consacre à son programme de modernisation et d'équipement sous la direction de Jean Monnet, premier commissaire au Plan. Tout est mis en œuvre pour reconstruire ce que la guerre a détruit et retrouver une prospérité ruinée.

C'est dans cette dynamique que René-Jacques reprend l'ensemble de ses activités professionnelles. Notre propos n'est pas d'entrer dans le détail d'activités multiples déjà évoquées, mais d'aller à ce que la guerre semble avoir transformé en une priorité absolue pour René-Jacques : atteindre l'idéal qu'il s'est fixé en devenant photographe.

Dans l'immédiat après-guerre et les années cinquante, quatre projets vont ainsi lui permettre de répondre pleinement à son exigence.

— Les Olympiques

C'est en 1924 que Montherlant a publié cet ouvrage en deux parties consacré à l'exaltation du sport, à l'occasion des Jeux Olympiques de la même année. Grand lecteur de Montherlant, René-Jacques a décidé d'en faire un projet exceptionnel de livre photographique.

Trahi de trop nombreuses fois par les imprimeurs, il choisit de recourir au procédé Fresson (un procédé de tirage au charbon), pour obtenir la meilleure restitution photographique possible. Le projet est conçu comme celui d'un livre d'art, dont les textes seraient tirés sur papier photosensible, à la manière des images placées en vis-à-vis. Les photographies, réalisées en 4 X 5, sont finalement uniquement des gros plans qui révèlent le rapport entre le corps de l'athlète et l'objet qui correspond à sa spécialité.

Malheureusement, ce projet pratiquement réalisé ne verra pas le jour, l'éditeur pressenti, madame Rombaldi, reculant devant le coût de l'opération et l'absence supposée de marché.

Restent de sublimes images, d'une force symbolique exceptionnelle et pour tout dire parfaitement indépendantes du texte de Montherlant.

— L'Automobile de France

René-Jacques est pleinement conscient que le travail du photographe professionnel est, en général, mal payé. C'est la publicité qui permet de s'en sortir. C'est elle aussi, comme il le dit lui-même à un journaliste, « qui permet de prendre le temps de réaliser, de temps en temps, une photo... qui maintiendra la qualité de notre œuvre ». Ce que Doisneau traduit, à

« L'homme de la nuit », Brest, 1939.

sa manière, par « ce regard oblique qui engage à voler, quand les occasions se présentent, un peu de temps payé par les différents employeurs ».

Or, en 1951, une commande à caractère exceptionnel va permettre à René-Jacques de dépasser la distinction des genres évoquée à l'instant.

La Régie Renault, nationalisée dès 1945, est dirigée par Pierre Lefaucheux, industriel venu du Comité général d'études. Hostile à l'étatisme, il rompt avec les directives du Plan Monnet en refusant de se cantonner à la production de poids lourds et en imposant la « 4 cv » Renault dont la production en chaîne commence dès 1947. Les premières machines transfert y font leur apparition et les effets de l'aide américaine y trouvent leur plus parfaite illustration.

Usines Renault, Boulogne-Billancourt
1951.

C'est dans ce contexte qu'est décidée la publication d'un ouvrage de prestige qui doit mettre en valeur, par la photographie et par le texte, le rôle novateur de la Régie Renault. En fait, le titre *L'Automobile française* prouve à lui seul que c'est le renouveau industriel français tout entier qui est concerné. Jules Romains, André Siegfried, Jean Cassou et Georges Friedman écrivent les textes, non sans quelque emphase. Quatorze photographes (Nora Dumas, Ergy Landau, Doisneau, Fregnacq, Girard, Jahan, Lang, Raux, Ronis, Schall, Steiner, Sudre, Zuber et... René-Jacques) sont appelés à démontrer que la grande industrie offre aux artistes « une source d'inspiration nouvelle ».

René-Jacques va pouvoir travailler dans des conditions exceptionnelles. Assuré de moyens financiers plus que confortables, il peut réaliser ses prises de vue exactement comme il le souhaite. Avec deux assistants, à la chambre 4 X 5 inches et 13 X 18 inches, avec des apports d'éclairage artificiel, il réalise cent vingt photographies. Quarante-sept seront publiées, ce qui représente près du quart des photographies de l'ouvrage.

Si le résultat est si parfait que nombre de ces photographies sont aujourd'hui intégrées aux recherches personnelles de René-Jacques, c'est que cette commande a fonctionné exactement comme un espace de liberté, un espace clos dans lequel le photographe avait su obtenir toute latitude de circulation dans un territoire défini, la chaîne de fabrication des « 4 cv », les usines de Flins et du Mans.

C'est d'ailleurs en se rendant à cette dernière usine que René-Jacques a donné un exemple étonnant de prévisualisation photographique. Sous prétexte de matériel de prise de vue trop lourd, il a l'opportunité de se servir d'un imposant camion pour le transport. Or, sa véritable motivation s'est révélée sur la route de Chartres quand, du toit de ce camion, il a obtenu le « point de vue » qu'il souhaitait depuis très longtemps.

— Célébration de Paris

Rompant avec la vision parfois populiste des années trente, René-Jacques se consacre à une nouvelle approche d'une capitale que tout l'invite à célébrer. Les années cinquante correspondent en effet à une multiplication d'ouvrages abondamment illustrés par la photographie et consacrés à la redécouverte du patrimoine français. Cette approche confère à nombre de photographies une charge symbolique inhabituelle qui répond à la volonté de reconstruction du pays. La monumentalité y est une des formes de la célébration nationale.

Mais les photographies de René-Jacques, tout en y participant pleinement, y échappent par un point de vue presque toujours exceptionnel, comme le panorama de Paris pris du dôme de l'Institut, un point de vue qui renoue avec les

Route de la Morte, Isère, 1953.

premières célébrations de Paris tout en y introduisant l'immensité d'un ciel en mouvement, et l'échelle de personnages minuscules.

Très souvent, la vision monumentale est expurgée de son aspect critique. La série de photographies prises aux Invalides n'est pas qu'une machinale célébration. Pourquoi, par exemple, la cour d'honneur, bordée de canons au rebut, est-elle vue à travers l'imposante statue de bronze d'un glorieux général affublé d'un pilon ?

Sous l'apparente froideur d'un Festin de Pierre, la vision monumentale s'enrichit de points de vue souvent décalés qui passent parfois inaperçus. Aux arcades de la grande cour des Invalides se succèdent les ombres gigantesques où se profile parfois la silhouette de Gulliver sur fond de Lilliput.

Mais ce n'est pas nouveau dans l'œuvre de René-Jacques.

Pourquoi à Saint-Sever, dans les Landes, l'ombre belliqueuse de la statue d'un porte-drapeau appelait-elle les morts au combat ?

Pourquoi un général chamarré trônait-il en effigie dans un escalier perdu, depuis 1935, au bas mot ?

— Célébration du paysage français

René-Jacques a toujours magnifié le paysage. Les vues plongeantes de la région de Beynac, dès 1933, annonçaient déjà cette célébration. Mais c'est dans les années cinquante qu'elle prend toute son ampleur. D'abord parce qu'elles correspondent à une demande de l'édition française, ensuite, et surtout, parce qu'elles représentent pour René-Jacques les ultimes figures de la sérénité.

Car les paysages de René-Jacques sont un pays secret. Ils illustrent parfaitement le propos

Ile de France, 1953.

de Pérec : « La campagne n'existe pas, c'est une illusion. La campagne est un pays étranger. »

La route de la Morte, les environs du Sautet ou le pays de Caux sont les déclinaisons d'une même et longue histoire qui en a modelé chaque parcelle avant de la livrer aux infinies modulations de la lumière. Sur la route de Chartres, les gerbes de lin s'offrent en hommage au ciel. Une plénitude s'instaure une fraction de seconde. René-Jacques enregistre un accord parfait.

Cirque Medrano, Paris, 1946.

L'avant-garde

« Ce ne sont pas les éléments qui déterminent l'ensemble, mais l'ensemble qui détermine les éléments : la connaissance du tout et de ses lois, de l'ensemble et de sa structure, ne saurait être déduite de la connaissance séparée des parties qui la composent. »

Georges Pérec, *La Vie, mode d'emploi.*

J'ai longtemps habité les photographies de René-Jacques, celles qui au détour d'un livre ou d'une revue, imprimées en héliogravure au toucher de peau de pêche, me parvenaient tant bien que mal. Elles me racontaient en subtilités de gris les mille et un paysages d'un Paris que je n'ai pas cessé d'arpenter en tout sens de jour et de nuit — longtemps de nuit — depuis la guerre. Parfois, quittant la capitale, je me faufilais dans une image sur la route de Chartres ou de Ponchartrain. Le temps m'avait enfin inventé une niche tranquille où je relisais André Hardellet. « Niepce est le diable. Il éternise une forme en incessante évolution… Dans les décors du vieux Paris et de sa banlieue, mon idée fixe en prend à cœur joie : les moulins et les ravines de Montmartre, les barricades de la Commune, les herbes et les pierrailles des berges de la Seine. Les rues qu'empruntaient les personnages de Balzac se continuent sous nos yeux d'aujourd'hui avec une tranquille insolence que j'admire. Hippolyte Bayard, Nadar, Atget — et bien d'autres — que de rêves éveillés je vous dois ! »

L'œuvre photographique de René-Jacques est maintenant refermée sur elle-même. Du vivant même de son auteur, elle commence à fonctionner autrement et, parce qu'elle est fertile, entre en résonance avec d'autres œuvres avec lesquelles elle entretient un rapport longtemps différé.

Ainsi de l'étrange, étroite et comme fœtale relation entre certaines œuvres de Georges Pérec et le Paris de René-Jacques. De la rue Vilin à l'imaginaire rue Simon-Crubellier, désormais plus réelle que le Pont-Neuf, l'écriture photographique de l'un nourrit l'écriture de l'autre, se révélant du même coup comme écriture au plein sens du terme. Georges Pérec et René-Jacques ne se sont jamais rencontrés, si ce n'est par une démarche partagée à quelques décennies d'intervalle. Comme si René-Jacques avait depuis très longtemps anticipé des œuvres « littéraires » qui répondraient, un jour, à son attente.

Les nombreux « hommages » écrits rendus au photographe lui refusent, avec une belle unanimité, la construction d'une « œuvre », allant jusqu'à lui dénier « un projet artistique concerté » !

Qu'une lecture fragmentée de l'œuvre puisse excuser un tel jugement relève du passé et d'une conception étriquée et scolastique de la notion d'œuvre. Malgré l'inévitable part du feu qui fut le tribut sacrifié aux conditions matérielles de l'existence, l'œuvre photographique de René-Jacques ne fonctionne pas comme un bloc, mais par éléments distincts, unités séparées qui ne sont reliées entre elles, dans un premier temps, que par le projet du photographe.

C'est ce qui va forger leur unité historique, à ne pas confondre avec l'unité constituée par l'ensemble de l'œuvre devenue autonome et invitant à des relectures.

Le « terreau » qui lui a permis de naître, et qui explique en partie son existence, n'a plus à interférer que de manière anecdotique avec le libre jeu des images.

Un temps nouveau de l'œuvre commence.

Il sera d'abord parcouru de redécouvertes, notamment par retirages ou tirages de phototypes méconnus, oubliés ou rejetés.

Il sera ensuite consacré à des relectures critiques, mais aussi à des mises en rapport ou en correspondance d'images jusqu'alors isolées.

La chronologie sera bouleversée.

Toute œuvre engendre un système de rapports, plus ou moins complexe, qui lui est propre.

Mais celui qui la « lit » dans son ensemble peut aussi y établir ses propres confrontations respectueuses ou irrespectueuses, iconoclastes ou non, à la manière de Francis Bacon construisant, en 1985, à partir des collections de la National Gallery de Londres, une exposition dans laquelle les œuvres s'organisaient à partir de sa propre vision dans des rapports nouveaux entre elles, loin de toute contrainte historique ou esthétique.

Ce temps est venu pour l'œuvre de René-Jacques.

Yves Aubry

Quai d'Orléans, depuis le restaurant « La Tour d'Argent »
Paris, 1934.

Depuis la coupole de l'Institut
Paris, 1951.

Quai des Tuileries
Paris, 1950.

Square du Vert-Galant
Paris, 1938.

Place des Fêtes
Paris, 1937

Rue de Vaugirard
Paris, vers 1930.

Rue de Lappe
Paris, vers 1935

Le Bateau-Lavoir
Paris, 1935.

Rue Duperré à Pigalle
Paris, 1937.

Paris
vers 1936.

Montmartre
Paris, 1948.

Boulevard Berthier
Paris, 1936.

Escaliers à Montmartre
Paris, 1950.

L'escalier du Vert-Galant
Paris, 1931.

Rue de la Bonne
Paris, 1951.

Place de la Bastille
Paris, 1936.

La tour Eiffel
Paris, 1941-1942.

Depuis la tour Eiffel
Paris, 1948.

Le Moulin de la Galette à Montmartre
Paris, 1946.

Montmartre
Paris, vers 1950.

Les Halles depuis Saint-Eustache
Paris, 1947.

Rue de Savoie
Paris, vers 1935.

Rue du Départ
Paris, 1947.

Square des Innocents
Paris, 1947.

L'hôtel de Francis Carco quai des Grands-Augustins,
lors de son arrivée à Paris, 1936.

Saint-Eustache, rue du Jour
Paris, vers 1935.

Cimetière de Montmartre
Paris, vers 1945.

Boulevard de la Chapelle
Paris, 1936.

Gare Saint-Lazare
Paris, 1934.

Paris
1932-1933.

Gare du Nord
Paris, 1946.

Place de l'Europe
Paris, hiver 1945-1946.

Boulevard Pereire
Paris, hiver 1945-1946.

Quai des Grands-Augustins
Paris, 1938.

Rue Piat à Belleville
Paris, 1936.

Ménilmontant
Paris, 1947.

Rue de la Mare
Paris, hiver 1945-1946.

Rue des Couronnes
Paris, hiver 1945-1946.

Zone de Clignancourt
1948.

Zone de Clignancourt
1948.

Paris
1934.

La toilette
Paris, 1932.

Sous le pont de la Tournelle
Paris, 1933.

La toilette du chien
Paris, 1932.

Clochards
Paris, 1936.

Enfants à Ménilmontant
Paris, vers 1932.

Clochards
Paris, 1932.

Clochards
Paris, 1936.

Paris
1936.

Paris
vers 1935.

Boulevard Garibaldi
Paris, 1936.

Paris
1931.

Paris
1930-1935.

Clochard
Paris, 1933.

Aux Halles
Paris, vers 1935.

Paris
1933-1934.

Photographe ambulant
Paris, 1933.

Vendeur de journaux
Paris, 1936.

Paris
1933-1934.

Place de l'Etoile
Paris, 1934-1935.

Dresseur de chiens
Paris, 1936.

Paris
1930-1935.

Montmartre
Paris, 1936.

Sur les quais
Paris, vers 1935.

Port des Champs-Elysées
Paris, 1934-1935.

Quai de Gesvres
Paris, 1934-1935.

Léon-Paul Fargue au canal de l'Ourcq
Paris, 1937.

Quai du Louvre
Paris, vers 1950.

Place de l'Opéra
Paris, 1942-1943.

Aux abattoirs de la Villette, Paris, 1931.

Paris, vers 1930.

Rue de Varenne, boulevard des Invalides
Paris, 1942.

Rue de Bagnolet
Paris, 1935.

Angle de la rue de la Charbonnière et de la rue de Chartres
Paris, 1936.

Au square du Vert-Galant
Paris, 1931.

Au canal Saint-Martin
Paris, vers 1950.

« Rendez-vous »
Paris, 1937.

Attente à la gare
Paris, vers 1934.

Paris
1931.

Gala nautique à la piscine Molitor
Paris, 1931.

Gala nautique à la piscine Molitor
Paris, 1931.

Gala nautique à la piscine Molitor
Paris, 1931.

Gala nautique à la piscine Molitor
Paris, 1931.

Gala nautique à la piscine Molitor
Paris, 1931.

Bibliographie sélective

1938   **_Envoûtement de Paris_**, Francis Carco, éd. Grasset.

1946   *La Seine à Paris*, Albert T'Serstevens, éd. Calmann-Lévy.
Chefs-d'œuvre de Rodin, préface de Georges Lecompte, éd. Les Publications techniques et artistiques.
Trésors méconnus de Paris, René Héron de Villefosse, éd. Les Publications techniques et artistiques.

1948   **_La Mer est un pays secret_**, Edouard Peisson, éd. Grasset.
Les Olympiques, Henry de Montherlant, création de bibliophilie non publiée.

A partir de 1950 Publications dans *L'Automobile de France, Harper's Bazaar, Fortune, Holiday, Plaisirs de France*, etc.

1952   **_Rodin_**, préface de Judith Cladel, éd. Somogy.

1953   *La France aux visages*, François Cali, éd. Arthaud.

1955   *Paris, Ville lumière*, René-Jacques, éd. librairie Marguerat, Suisse.

1956   *Ile-de-France*, Bernard Champigneulle, collection Les Beaux Pays, éd. Arthaud.

1957   *Ponts de Paris à travers les siècles*, H.L. Dubly, préface de Francis Carco, éd. des Deux Mondes.

1960   *Merveilles de la France*, François Cali, éd. Arthaud.

1962   *Châteaux de France*, Mathieu Méras, *Cathédrales de France*, P. Gérard et M. Méras, éd.Nathan.

1967   *Rodin*, Bernard Champigneulle, éd. Somogy.

1984   **_René-Jacques_**, préface de Jean-Claude Gautrand, éd. Fondation nationale de la photgraphie.

1985   *Paris des photographes*, Jean-Claude Gautrand, éd. Contrejour.

1988   **_Envoûtement de Paris_**, Francis Carco, éd. Nathan.

1989   **_René-Jacques : un illustrateur photographie Paris_**, Marie de Thézy et Liza Daum, éd. Bibliothèque historique de la Ville de Paris.
Visions du sport, Jean-Claude Gautrand, éd. Admira.

1991   *La Seine*, Pierre Mac Orlan, éd. du Castor Astral.
René-Jacques, Pierre Borhan et Patrick Roegiers, éd. de La Manufacture et Mission du patrimoine photographique.
Paris perdu, éd. Carré.

1992   **_René-Jacques_**, Jean-Claude Gautrand, collection Les Grands Photographes, éd. Belfond et Paris-Audiovisuel.
Les Six Livres de Grabinoulor, Pierre Albert-Birot, éd. J.-M. Place.
Boulogne-Billancourt, ville des Temps Modernes, Institut français d'architecture, collection Villes, éd. Mardaga.
La Photographie humaniste : 1930-1960. Histoire d'un mouvement en France, éd. Contrejour.

1993   **_René-Jacques : Paysages_**, éd. Les Cahiers de la photographie de Saint-Benoît-du-Sault.

          Album de França, éd. Fundacio La Caixa, Espagne.
Invitation au voyage : la photographie humaniste française et/e la fotografia neorealista italiana, éd. Carte Segrete, Italie, et Contrejour.
Des villes et des nuits, éd. Atelier des enfants-Centre Georges Pompidou.

1994   *La Ville : art et architecture en Europe 1870-1993*, éd. Centre Georges Pompidou.
Spectacles, de la scène à l'écran, éd. Marval et Mission du patrimoine photographique.

1995   Publications dans *Musta Taide*, Finlande, *Réponses Photo*, etc.
Paris : photographies et poèmes, éd. Bibliothèque de l'image.
Fête foraine, Alain Lanavère, éd. Caisse nationale des monuments historiques et des sites.

Les titres d'ouvrages composés en gras sont des monographies.

Repères biographiques

1908   Naissance de René Giton, le 28 mai à Phnom Penh.

1917   Retour en France et études au collège de Royan.

1924   Sa famille se fixe à Paris. Etudes secondaires au lycée Buffon.

1925   Premières photographies d'amateur avec un Stéréo-Spido Gaumont appartenant à son père.

1928   Publication d'un poème dans le numéro 1 du journal *La Pagaille*, daté du 2 février, ainsi que dans le numéro de mars de *Poésie*, sous le nom de René Donain.

1930   Après son service militaire et des études de droit, il renonce à une carrière littéraire et choisit de devenir photographe. Premières photographies de recherche.

1931   Achète son premier Leica.

1932   Adopte le nom de René-Jacques. Début d'une activité diversifiée : portrait, décoration, cinéma. Rencontre André Vigneau.

A partir de 1933   Participe à l'exposition du Groupe annuel des photographes à la galerie *La Pléiade*. Publications dans de nombreuses revues françaises et étrangères, comme le supplément annuel *Photographies*, édité par *Arts et Métiers graphiques* (1933, 1937, 1938...).

1934   Première exposition au Studio 28 : rencontre Daniel Masclet. Promenades avec Léon-Paul Fargue en vue d'illustrer un livre, *D'après Paris*, un projet sans suite.

1935   Mariage avec Jane Mary Collomé.

1936   Expose avec la Société française de photographie à Londres et à l'« Exposition internationale de la photographie » au musée des Arts décoratifs.

1937   Participe à une exposition au musée d'Art moderne de New York, ainsi qu'à l'exposition « Paris » à la galerie Paul Magné. Rencontre Francis Carco.

1938-1939   Photographies de plateau pour différents films, dont *Jeunes Filles en détresse* de Pabst et surtout *Remorques* de Jean Grémillon (1939).

1939-1940   Mobilisé le 29 août 1939 dans la 2e DLC, il se bat des Ardennes à la Somme avant de rejoindre le Sud de la France, puis Paris.

1941   Naissance de son fils Daniel (suivront Françoise en 1943, Béatrice en 1945 et Pascal en 1957). Devient membre du groupe Rectangle.

1942   Exposition de photographies des sculptures de Rodin à la galerie P. Magné.

1946   Publication du premier tarif publicitaire avec code des usages. Membre du Groupe des XV.

1947   Début des travaux d'illustration pour *Les Olympiques*. Ouvre son atelier rue du Printemps.

1949   Important reportage à travers la RFA en ruines pour le *Stuttgarter Illustrierte*.

1951   Début d'une collaboration qui durera vingt ans avec les magasins Aux Trois Quartiers. Reportage aux usines Renault de Boulogne-Billancourt, Flins et Le Mans, et publications dans l'*Automobile de France*. Début de ses publications dans *Harper's Bazaar, Fortune, Holiday, Plaisirs de France*.

1958   Exposition à la galerie Montalembert, Paris.

1969   Nommé expert auprès du tribunal de commerce et du tribunal de grande instance pour tous les litiges concernant la photographie.

1975   Interrompt ses activités et se consacre à la diffusion de ses archives.

1980-1990   Participation à de nombreux ouvrages et expositions, notamment consacrés à Paris.

1982   Confie à la Bibliothèque historique de la Ville de Paris une partie de sa documentation sur la capitale.

1984   Première rétrospective à la Fondation nationale de la photographie à Lyon.

1985-1988   Expositions à Paris (Salon de la photo, porte de Versailles, 1985), Arras, Amiens, Mont-de-Marsan, Bourges...

1990   Le 22 mars, fait donation de la totalité de son œuvre à l'Etat. Est nommé chevalier de la Légion d'honneur.

1991   A l'occasion de la donation, exposition rétrospective organisée au Palais de Tokyo (Paris) par la Mission du patrimoine photographique (ouvrage de référence publié par La Manufacture/AFDPP).

1992   Expositions à Douai, Royan.

1993   Exposition « Paysages » pour laquelle il réalise de nouvelles photographies, à Saint-Benoît-du-Sault. Exposition« Remorques » à Brest.